Provocações
de Cristovam Buarque

Provocações
de Cristovam Buarque

Prefácio:
Joaquim Falcão

Organização:
Martha von Dollinger Régnier

EDITORA intersaberes

Rua Clara Vendramin, 58 . Mossunguê
Cep 81200-170 . Curitiba . PR . Brasil
Fone: (41) 2106-4170
www.intersaberes.com
editora@editoraintersaberes.com.br

Conselho editorial
Dr. Ivo José Both (presidente)
Dr.a Elena Godoy
Dr. Nelson Luís Dias
Dr. Neri dos Santos
Dr. Ulf Gregor Baranow

Editora-chefe
Lindsay Azambuja

Supervisora editorial
Ariadne Nunes Wenger

Analista editorial
Ariel Martins

Revisão de texto
Flávia Garcia Penna

Capa e diagramação
Ademir Alves de Oliveira Júnior

Coordenação de acervo
Cleônia Elizabeth Santana

Dados Internacionais de Catalogação na Publicação (CIP)
(Câmara Brasileira do Livro, SP, Brasil)

Provocações de Cristovam Buarque/Martha von Dollinger Régnier (Org.). Curitiba: InterSaberes, 2018.

Bibliografia.
ISBN 978-85-5972-760-9

1. Brasil – Política e governo 2. Brasil – Política social 3. Coletâneas 4. Cristovam Buarque 5. Frases 6. Sociologia I. Régnier, Martha von Dollinger.

18-16238 CDD-320.09281

Índices para catálogo sistemático:
1. Brasil: Políticos: Frases: Coletâneas 320.09281
2. Frases: Coletâneas: Brasil: Políticos 320.09281

Iolanda Rodrigues Biode – Bibliotecária – CRB-8/10014

1ª edição, 2018.

Foi feito o depósito legal.

Informamos que é de inteira responsabilidade do autor a emissão de conceitos.

Nenhuma parte desta publicação poderá ser reproduzida por qualquer meio ou forma sem a prévia autorização da Editora InterSaberes.

A violação dos direitos autorais é crime estabelecido na Lei n. 9.610/1998 e punido pelo art. 184 do Código Penal.

Sumário

7 PREFÁCIO

10 APARTAÇÃO
17 BRASIL
23 CIÊNCIA E TECNOLOGIA
28 CIVILIZAÇÃO
34 DEMOCRACIA
40 GLOBALIZAÇÃO
45 ECONOMIA
51 MEIO AMBIENTE
56 ÉTICA
62 EDUCAÇÃO
67 ESCOLA
73 ESQUERDA
78 FUTURO
83 POLÍTICA
89 TERRORISMO
94 UNIVERSIDADE
100 UTOPIA
104 OUTROS

107 LIVROS DE CRISTOVAM BUARQUE
111 NOTA SOBRE CRISTOVAM BUARQUE

Prefácio

Estes textos de Cristovam Buarque provam duas de suas qualidades. A primeira é que não tem medo de inovar, do pensar diferente, do olhar pioneiro. Gosta de correr o risco do acertar antes do tempo. A segunda é que é mais do que senador, político ou economista, mais do que pernambucano e brasileiro. É um intelectual público, ativista de ideias, de dimensões globais.

Às vezes, tenho a sensação de que ler Cristovam ou conversar com ele é passear no futuro. Passear no futuro a partir do Brasil. A ele, mais do que a qualquer outro, aplica-se a afirmação parafraseada de Cícero Dias: eu vejo o mundo, mas ele começa no Recife.

Joaquim Falcão
Academia Brasileira de Letras

Cristovam Buarque releu todos os excertos presentes nesta obra e julgou necessário efetuar alterações em alguns.

APARTAÇÃO

APARTAÇÃO

O mundo contemporâneo é caracterizado ao mesmo tempo pela integração mundial e pelas desintegrações nacionais. Uma *cortina de ouro* serpenteia o planeta, cortando países, separando os ricos do mundo dos pobres de cada país, formando uma apartação em escala mundial. A apartação se dá dentro de cada país, mas é um fenômeno internacional, dividindo a Terra em um primeiro mundo internacional dos ricos e um arquipélago de pobres, um *gulag* social internacional. Os ricos iguais, não importa o país no qual nasçam ou vivam, os pobres diferentes, ainda que dentro de um mesmo país.

Livro *Admirável mundo atual: dicionário pessoal dos horrores e esperanças do mundo globalizado* (2001)

◆

Desde a infância, nossas crianças são apartadas, separando aquelas tratadas com todo cuidado e com boas escolas e as que sofrem fome, não têm escola e caminham para um destino perdido. Isso é mais do que desigualdade social, é imoralidade, corrupção nas prioridades apartando a estrutura educacional, sem que juízes julguem os culpados ao longo das décadas.

Artigo "A corrupção das estruturas" – jornal *Correio Braziliense* (15/11/2016)

Reaja contra uma civilização que produz quase setenta trilhões de dólares por ano, dez mil por cada pessoa, e tem crianças com fome, sem roupas, brinquedos, higiene. Sem escolas nem assistência médica. Reaja contra o triste futuro da civilização estampado nos olhos desses meninos e meninas pobres do mundo, não importa o país.

Livro *Reaja!* (2012)

♦

Dez mil séculos depois que uma mutação natural formou os primeiros seres humanos, diferenciando-os de seus primos macacos, uma mutação induzida pela ciência poderá partir a humanidade em dois grupos distintos, apartando-a biologicamente.

Livro *Admirável mundo atual: dicionário pessoal dos horrores e esperanças do mundo globalizado* (2001)

♦

Como uma lei de gravidade social, cada nação rica atrai imigrantes na razão direta de suas riquezas e na razão inversa de sua distância em relação às nações pobres. Por isso, a Europa está condenada a receber multidões de imigrantes atravessando o Mediterrâneo, como no passado judeus atravessaram o Mar Vermelho e europeus atravessaram o Atlântico. À Europa restam três alternativas: abrir suas fronteiras, dividindo sua riqueza material com os pobres do mundo; abandonar seus valores éticos para construir barreiras, isolando-se como em um imenso castelo contra os excluídos do mundo; ou praticar um gesto de sabedoria e bondade, ética e estratégia, oferecendo os meios para que a migração deixe de ser necessária.

Artigo "O papa imigrante" – jornal *Correio Braziliense* (25/08/2015)

◆

Em sessenta anos, nossa demografia passou de 36% para 83% vivendo nas cidades; fizemos monstrópoles, não metrópoles: divididas em condomínios e favelas em uma triste apartação.

Artigo "Todos pela educação" – jornal *Correio Braziliense* (08/02/2016)

◆

Nos países socialistas, a construção da nova sociedade foi utilizada para justificar a abolição das liberdades individuais, construindo-se privilégios tão absurdos para grupos políticos quanto os absurdos privilégios dos grupos econômicos modernos.

Livro *O que é apartação: o apartheid social no Brasil* (1993)

◆

Em cada um dos países-com-maioria-da-população-de-baixa-renda, uma elite nacional assumiu o mesmo papel dos colonizadores estrangeiros e passou a explorar e usufruir a potencialidade do país sem distribuir os resultados, usando os métodos tão ou mais brutais do que os dos antigos colonizadores. Nos países da América Latina, da Ásia e da África formaram-se elites nacionais com os mesmos padrões de consumo dos países ricos, mas não pelo aumento da produtividade e da renda nacional, à custa de imoral concentração da renda nacional.

Livro *O que é apartação: o apartheid social no Brasil* (1993)

♦

A sociedade brasileira é tão hipócrita que se dizia horrorizada com o *apartheid* sul-africano – que não deixava os negros estudarem em boas escolas, frequentarem as melhores universidades, serem atendidos em bons hospitais, conseguirem empregos com altos salários, morarem em boas casas, comprarem em *shoppings centers* – enquanto agia da mesma forma em relação aos pobres. Tão hipócrita que não aceita traduzir o termo *apartheid* por *apartação*; para indicar a exclusão dos pobres na dividida sociedade brasileira, prefere continuar chamando apenas de desigualdade.

Livro *"O futuro de um país tem a cara de sua escola no presente": e outras frases educacionistas* (2012)

♦

Ao ficar partida socialmente, a população sofre uma necessária separação física. É o momento em que a desigualdade se aproxima do *apartheid*.

Livro *O que é apartação: o apartheid social no Brasil* (1993)

A cada minuto, tem sido negado aos migrantes o acesso a sistemas de saúde e educação de qualidade, habitação, segurança, transporte, cultura e empregos. O mundo é um arquipélago de pequenas europas em um oceano africano. Mesmo na África, pequenas europas sociais acolhem os ricos locais e excluem os pobres locais. Nunca o local geográfico foi tão diferente do local social. Em todo o planeta há milhões de pequenos mediterrâneos invisíveis, como muralhas, separando abundância e escassez.

Livro *Mediterrâneos invisíveis: os muros
que excluem pobres e aprisionam ricos* (2016)

♦

Com poucas exceções, os imigrantes que chegam ao território europeu vão se concentrar nas periferias das cidades, em condições quase tão socialmente excludentes quanto as de antes da travessia geográfica. Para eles, o Mediterrâneo continua, mesmo depois que chegam à terra firme: nas calçadas dos centros urbanos, nos subúrbios das cidades, nos subempregos, no tráfico, afogando a vida de sobreviventes de uma travessia geográfica que não faz a travessia social. As populações pobres do mundo vivem em botes, mesmo quando em terra.

Livro *Mediterrâneos invisíveis: os muros
que excluem pobres e aprisionam ricos* (2016)

Na ótica dos pobres-excluídos há uma cortina de ouro que impede a passagem deles à sobrevivência e à abundância; na ótica dos ricos, há uma jaula de ouro que os protege da invasão dos pobres. A derrubada das barras da jaula de ouro e da cortina de ouro vai exigir uma reformulação do conceito de riqueza.

Livro *Mediterrâneos invisíveis: os muros que excluem pobres e aprisionam ricos* (2016)

BRASIL

BRASIL

Até aqui, formamos um grande e dividido país; é hora de construirmos uma grande e unida nação e o caminho é a educação de qualidade para todos. Com ela, o que nós somos e como somos pode se transformar em como seremos, conforme desejamos.

Livro *Brasil, brasileiros. Por que somos assim?* (2017)

♦

Em um país onde "tudo em sua terra dá" e sua elite rica se apropria da quase totalidade da renda social, sem preocupação com o futuro, sem necessidade de poupar, cria-se um círculo vicioso de injustiça e estupidez, e fica natural que seus habitantes desperdicem renda em bens supérfluos, desconsiderem a necessidade de eficiência, desfaçam a própria fortuna. O Brasil é um país desperdiçador, não tem gosto pela austeridade.

Livro *Brasil, brasileiros. Por que somos assim?* (2017)

♦

O Brasil padece de déficit de atenção, e a culpa não é das crianças. Como cada criança não aprende por déficit de atenção no estudo e compromete seu futuro pessoal, o Brasil compromete seu futuro por déficit de atenção a seus problemas.

Artigo "Déficit de atenção" – jornal *O Globo* (16/10/2015)

Sinto orgulho de meu país, de um povo que é capaz de suportar tanto sofrimento sem desesperar; sinto vergonha da vergonha que a elite diz sentir, e até sente, mas preferindo nela continuar, por medo de perder qualquer um de seus privilégios.

Livro *Os instrangeiros: a aventura da opinião na fronteira dos séculos* (2002)

♦

O Brasil é grande demais, imediatista demais, descrente demais e desgovernado demais para superar as atuais dificuldades sem um entendimento político necessário para ajustar nossas contas públicas e corrigir nossos desajustes estruturais.

Artigo "Desajuste fiscal" – jornal *O Globo* (30/05/2015)

♦

É assustador perceber que o Brasil está mergulhado em tamanha crise sem que os governos reconheçam seus erros e sem que as oposições percebam que, embora a culpa seja dos governos, o problema é de todos e que, juntos, devemos tomar as decisões necessárias para salvar o Brasil e reorientar nosso futuro.

Artigo "Vigília permanente" – revista *Brasília Capital* (29/03/2015)

Se o berço da desigualdade está na desigualdade do berço, é nela que devemos corrigir a desigualdade social que desponta no horizonte da história: um programa mundial para igualar os berços das crianças, garantindo a todas elas bens e serviços essenciais, especialmente educação. Isso ajudará o mundo a derrubar a cortina de ouro e romper a apartação.

Livro *O berço da desigualdade* (2005)

♦

O Brasil adormecido ainda não despertou para os brutais vazamentos que decorrem de sua estrutura social, que exige reformas urgentes: no sistema fiscal, que protege ricos; na propriedade da terra, que exclui trabalhadores; na legislação trabalhista, que prejudica os jovens e os desempregados; na previdência, que beneficia uns poucos no presente e ameaça a todos em um futuro não muito distante; uma reforma eleitoral que elimine a corrupção, extinga privilégios financiados com recursos públicos e quebre os patrimonialismos burguês ou de trabalhadores, que se apropriam dos orçamentos do Estado e jogam dívida para as futuras gerações.

Artigo "A corrupção das estruturas" – jornal *Correio Braziliense* (15/11/2016)

♦

Se não formos capazes de trazer idealismo e ética para a política, em breve teremos um país desagregado socialmente, ineficiente economicamente e corrupto na sua essência.

Discurso na Conferência Nacional do PPS –
A Nova Agenda do Brasil (23/06/2018)

O Brasil é um país que sofre de pobreza de urbanidade: um trânsito enlouquecedor que consome horas preciosas de vida de nossa população; o verde destruído para ajustar as cidades ao automóvel; inundações provocadas por obras irresponsáveis; a violência generalizada. Sobretudo, a pobreza de urbanidade de uma população que mais parece se engalfinhar pela sobrevivência do que conviver como cidadãos.

Livro *Os instrangeiros: a aventura da opinião na fronteira dos séculos* (2002)

♦

O Brasil precisa sair do pessimismo paralisante, como também das ilusões demagógicas dos discursos populistas e imediatistas, e retomar sonhos para um futuro do tamanho que o país pode ter, diante dos recursos de que dispõe.

Texto "Educação como vetor para reorientação do Brasil" – palestra em Illinois, Estados Unidos (2017)

♦

Sem lideranças políticas capazes de nos fazer um Brasil emergente de forma sustentável por décadas, nosso destino será persistir no quadro de país imergente – no atraso educacional, nos desequilíbrios fiscais, nos limites econômicos e, sobretudo, na insensibilidade política.

Artigo "Nação imergente" – jornal *Correio Braziliense* (24/02/2015)

O Brasil não vai construir uma sociedade harmônica, em paz, nem uma economia eficiente enquanto continuar como um crematório de cérebros pela exclusão educacional e tendo um fosso separando a educação das crianças conforme a renda dos seus pais.

Artigo "Primeiro século" – jornal *Correio Braziliense* (28/04/2015)

CIÊNCIA E TECNOLOGIA

CIÊNCIA E TECNOLOGIA

Mais uma vez estamos assistindo, do lado de fora, à passagem do trem da revolução científica e tecnológica que acontece, sobretudo, graças à educação. A diferença é que, desta vez, temos os recursos necessários para fazer nossa revolução e percebemos o que acontece ao redor. Não temos desculpas.

Trecho do relatório preliminar da Comissão Especial
de Financiamento da Educação no Brasil (2017)

♦

O que faz o Brasil não contemporâneo às conquistas do mundo não é apenas a falta de ciência e tecnologia, mas também o fato de que a ciência e a tecnologia de que dispomos não têm sido utilizadas para fazer um Brasil que satisfaça os desejos de nossa população. Algumas vezes, têm servido até para fazê-lo regredir socialmente.

Livro *O colapso da modernidade brasileira
e uma proposta alternativa* (1991)

♦

Em um tempo no qual a ciência e a tecnologia são a base para o futuro, o Brasil vem despertando muito lentamente para o risco que o ameaça, em decorrência da incapacidade para criar conhecimento.

Livreto *Proposta para a construção de um
Sistema Nacional de Conhecimento e Inovação* (2012)

Alguém traiu o Brasil, ao tomar as decisões que nos fizeram estagnar em matéria de ciência e tecnologia.

Artigo "Traidores anônimos" – jornal *O Globo* (25/10/2008)

◆

A crise ecológica é provocada pela economia, mas ocorre devido ao uso da ciência e da tecnologia pela política. O atual modelo civilizatório usa o avanço técnico como vetor determinante do progresso, definindo a lógica econômica que regula as decisões políticas, manipula os objetivos sociais e ignora os valores éticos. O desafio brasileiro é promover o avanço técnico-científico como instrumento para nosso futuro.

Livro *Desafios à humanidade: perguntas para a Rio+20* (2013)

◆

A inteligência é produto do cérebro de uma pessoa, mas a inteligência de cada pessoa se deve aos cérebros das milhares de pessoas que direta ou indiretamente participam de sua educação; é resultado do esforço coletivo de intelectuais que pesquisam e de trabalhadores que o alimentam para que possa pesquisar. A inteligência é de uma pessoa, mas o conhecimento é produto de todos e deve pertencer a todos os homens e mulheres. É indigno que a descoberta de um remédio só sirva a quem pode pagar por ele, prostituindo-se a inteligência dos cientistas que o descobriram. Reaja contra a apropriação da ciência e da tecnologia a serviço da violência da guerra e da ganância do consumo.

Livro *Reaja!* (2012)

Ciência e tecnologia: como subordiná-las a valores éticos?

Livro *Desafios à humanidade: perguntas para a Rio+20* (2013)

◆

Estamos ficando para trás dos outros países. Há 40 anos, este país tinha uma pesquisa espacial que estava no nível da pesquisa daqueles do chamado *segundo time*, que não eram União Soviética ou Estados Unidos. Hoje, a China, que estava atrás de nós, conseguiu fazer e colocar robôs andando na Lua; a Índia tem uma nave que já foi até Marte. O Paquistão está na nossa frente, a Coreia do Sul está na nossa frente, a Coreia do Norte está na nossa frente. Ficamos para trás.

Pronunciamento no plenário do Senado (13/03/2015)

◆

Quando é que o Brasil vai despertar para se transformar em um celeiro do conhecimento, de ciência, de tecnologia, de cultura? Quando é que o país vai ter suas grandes fortunas como resultado de grandes invenções, de grandes inovações, de grandes saltos no conhecimento? Sei o que é preciso fazer para isso acontecer: o principal passo é não desperdiçar nenhum cérebro graças à educação de base com qualidade para toda criança, independentemente da renda e do endereço de sua família.

Pronunciamento no plenário do Senado (27/11/2017)

O Brasil afoga milhões de seus cérebros entre o nascimento e a adolescência e provoca a fuga ao exterior de adultos que conseguem avançar na formação científica. O afogamento e a fuga de cérebros mostram uma sociedade sem vocação para o desenvolvimento intelectual.

Artigo "Afogamento e fuga" – jornal *O Globo* (09/12/2017)

♦

No tempo em que uma profunda revolução tecnológica ocorre no mundo, o Brasil ingressa no seu terceiro centenário com baixa produtividade econômica, educação precária e desigual, sem capacidade para inovação científica e tecnológica. Um país sem unidade nacional no presente e sem sintonia com o futuro da humanidade.

Livreto *Coesão, rumo e esperança* (2017)

♦

Não aceite que as maravilhas da ciência e da tecnologia sejam usadas para induzir uma mutação biológica em benefício dos ricos capazes de comprar o conhecimento da genética, da biotecnologia, da medicina. Não assista passivamente à evolução de poucos para a situação de um neo-homo-sapiens e à condenação dos pobres excluídos do mundo a serem transformados em neo-neanderthals. Este progresso imoral representa o mais violento passo de involução ética, ainda pior que o *apartheid* sul-africano, porque é irreversível.

Livro *Reaja!* (2012)

CIVILIZAÇÃO

CIVILIZAÇÃO

O mundo do século XXI deve ser visto como um condomínio de nações, o Condomínio Terra, onde cada nação é soberana, mas tem sua soberania limitada por regras éticas comuns a toda a humanidade. A cidadania grega deve dar lugar à planetania mundial.

Livro *O erro do sucesso: a civilização desorientada
e a busca de um novo humanismo* (2014)

♦

A grande questão social do século XXI será como dar alma ao processo civilizatório: consciência à ciência, submetendo o avanço técnico aos valores éticos. Isso vai exigir a definição das bases para um novo humanismo.

Livro *O erro do sucesso: a civilização desorientada
e a busca de um novo humanismo* (2014)

♦

Nas próximas décadas, a humanidade tem duas opções: continuar no mesmo rumo de evolução do último século e das últimas décadas, caminhando para o desequilíbrio ecológico e rumo a uma mutação biológica induzida pela ciência – que beneficiará somente parte dos seres humanos –, ou reorientar o seu futuro, subordinando o perfil civilizatório ao equilíbrio ecológico e à garantia de direitos iguais a todos os humanos desta e das gerações futuras.

Livro *O erro do sucesso: a civilização desorientada
e a busca de um novo humanismo* (2014)

A mudança de rumo da civilização em direção a um futuro no qual todos estejam incluídos e a natureza seja respeitada, em harmonia social e ecológica, já não pode ser realizada com base nas revoluções nos padrões dos últimos séculos. Agora, não se trata apenas de revolução, mas de uma metamorfose do atual modelo para um novo padrão civilizatório, o que passa por uma mudança de mentalidade. O caminho está, portanto, na educação, especialmente das crianças e dos jovens.

Livro *Desafios à humanidade: perguntas para a Rio+20* (2013)

♦

Estamos deixando uma civilização do medo para nossos jovens e as futuras gerações: medo do aquecimento global, do desemprego, da droga e da desigualdade crescente. Medo, sobretudo, da violência atual do terrorismo provocado pelo fanatismo religioso e, em breve, pelo desespero da exclusão social ou pelo inconformismo com a destruição do meio ambiente.

Artigo "Civilização do lápis" – jornal *O Globo* (24/01/2015)

♦

O que há de tão especial na espécie humana que justifique a luta para salvá-la graças a uma reorientação do modelo civilizatório?

Livro *Desafios à humanidade: perguntas para a Rio+20* (2013)

Ao humanizar o destino da humanidade, retirando-o dos desígnios divinos, o ser humano se materializou e restringiu sua própria finalidade e seu papel de transformador de pedras, plantas e animais em produtos da economia. Abandonou a dependência a Deus, mas caiu na natureza material do homem.

Livro *Da ética à ética: minhas dúvidas sobre a ciência econômica* (2012)

◆

Poucos imaginavam que, a partir da segunda metade do século XX, essa civilização mundial se realizaria tão rápida e internacionalmente. Tampouco se imaginava que a civilização mundial seria uma civilização com apartação, integrando os homens internacionalmente e desintegrando-os dentro de cada país.

Livro *Admirável mundo atual: dicionário pessoal dos horrores e esperanças do mundo globalizado* (2001)

◆

Ao longo de sua história, ao contrário dos outros animais, o homem criou uma espécie de "compulsão por bens", que, modernamente, vem se configurando em uma ânsia neurótica de transformar a natureza-tal-qual-ela-está em um acúmulo de bens produzidos.

Texto "O fetichismo da energia" (1981)

O que levará a civilização ao seu colapso final?

Livro *Desafios à humanidade: perguntas para a Rio+20* (2013)

◆

A civilização ocidental está surpresa por ter chegado ao século XXI assustada, sem poder desfrutar a utopia pacifista, produtiva, abundante, afluente, eficiente, poderosa que sua hegemonia deveria oferecer. Mais surpresa ainda ao perceber que seus medos vêm de seus sucessos e seu fracasso decorre de seu êxito: o avanço técnico e científico criando as causas do medo e do próprio fracasso. Como em um círculo vicioso em que, ao ganhar, os vencedores perdem.

Texto "Civilização do medo" – Colóquio L'hegémonie et la civilisation de la peur, em Alexandria, Egito (2004)

◆

A crise atual não seria da economia nem da civilização industrial, nem mesmo da mentalidade circunstancial do presente momento histórico, mas uma característica biológica do animal-homem, da própria humanidade, da soma de seres humanos incapazes de responsabilizar-se pelo planeta e pelas gerações futuras. Construímos centrais nucleares para atender à demanda por energia a curto prazo e somos incapazes de levar em conta seus riscos no longo prazo.

Livro *Desafios à humanidade: perguntas para a Rio+20* (2013)

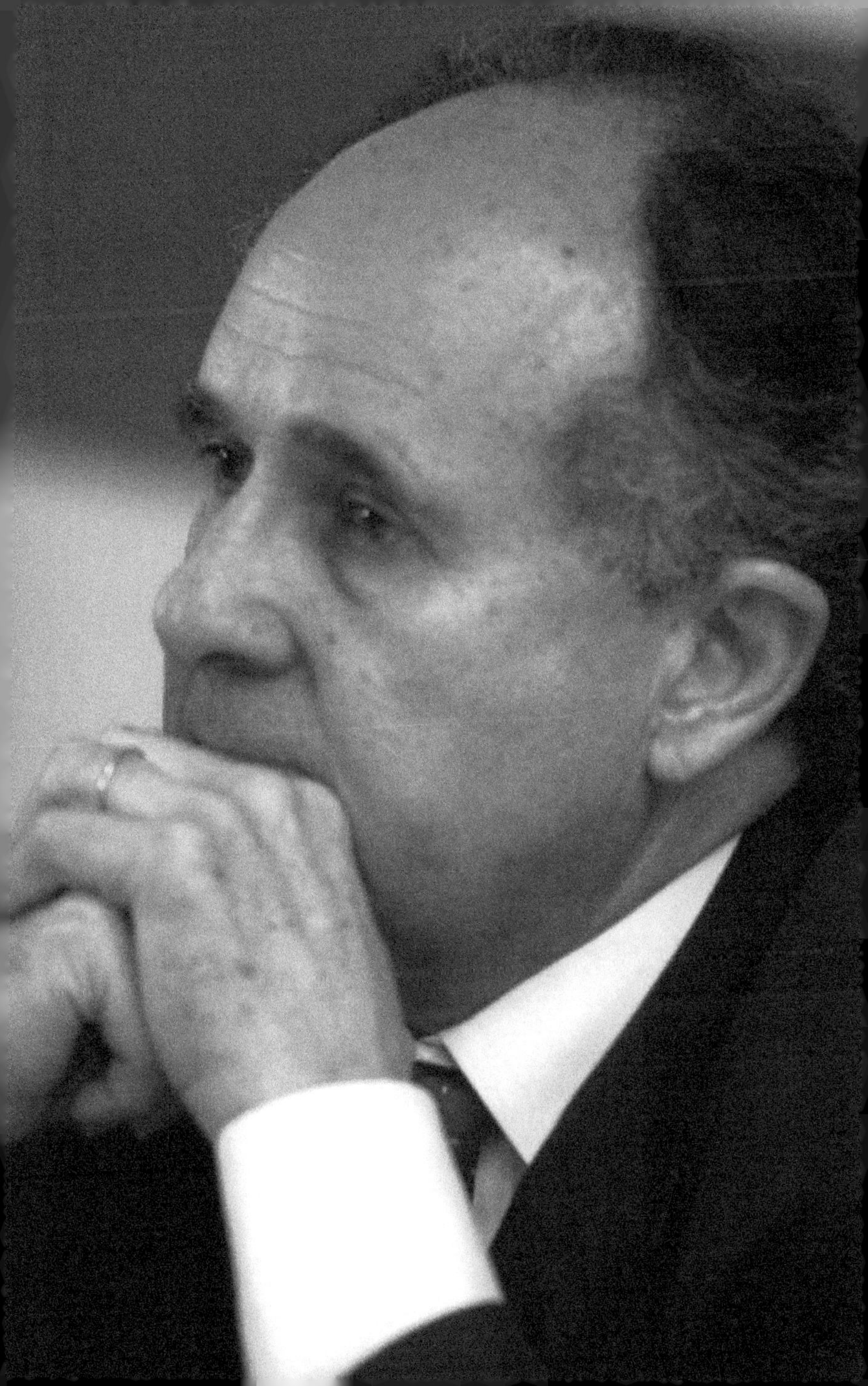

DEMOCRACIA

DEMOCRACIA

Dobramos uma esquina do labirinto ao conquistarmos a democracia e fazermos uma Constituição para apagar o passado autoritário, sem usá-la para construir o futuro desejado e possível da nação. Garantimos direitos sem determinar deveres, sem definir sentimento de coesão nacional. Ficamos presos ao imediato de cada grupo, sem vontade para construir o rumo para todos no longo prazo.

Artigo "O labirinto de nossos erros" – jornal *O Globo* (11/10/2017)

♦

A democracia deve beneficiar a todos, distribuindo a renda conforme o mérito de cada pessoa. Para isso, a democracia precisa ser o regime das oportunidades iguais. A escola é a fábrica onde se constrói a democracia, ao possibilitar oportunidades iguais para todos. Uma democracia que não oferece escola com qualidade para todas as suas crianças é como uma república que escolhesse alguns cidadãos e condenasse os outros à escravidão.

Livro *A universidade na encruzilhada* (2014)

♦

Apesar de 30 anos de democracia, de estabilidade monetária e de crescimento econômico, continuamos como um dos mais desiguais, mais deseducados e mais violentos países do mundo.

Artigo "Falta o Brasil" – jornal *Correio Braziliense* (21/06/2016)

A democracia se mantém pela ética política graças à confiança pública nos líderes ungidos pelo voto, mas também pela estética da beleza da coreografia de seu funcionamento. Basta comparar a paz da democracia com a feiura da violência implícita ou explícita das ditaduras. Quando a democracia perde a beleza, ela perde legitimidade e se enfraquece. É o que está ocorrendo com a democracia brasileira: está feia por suas escolas desiguais e suas ruas violentas.

Livro *Admirável mundo atual: dicionário pessoal dos horrores e esperanças do mundo globalizado* (2001)

♦

Depois de um esforço de duas décadas, não devemos desprezar a democracia que conquistamos, mesmo com todos os defeitos que ela ainda apresenta. O que está em jogo não é, como nos meus vinte anos, o direito de falar e votar, mas o que propor, o que fazer. Não é poder fazer política, mas o que fazer na política.

Artigo "Vinte anos" – jornal *Correio Braziliense* (28/03/2009)

♦

O mundo encolheu a ponto de se tornar uma aldeia global, as decisões tomadas em qualquer lugar se espalham instantaneamente e seus efeitos podem perdurar por décadas ou séculos. Mas a democracia continuou limitada ao espaço geográfico nacional e ao horizonte histórico entre eleições, por isso está perdendo a força inspiradora e o vigor transformador.

Livro *O erro do sucesso: a civilização desorientada e a busca de um novo humanismo* (2014)

O regime autoritário impõe suas decisões pela força das armas. O regime democrático, pela força moral e pela credibilidade dos seus líderes diante de sua população. Dentro dessa visão, o Brasil não tem um regime democrático. Faltam-lhe valores morais no exercício da atividade política, credibilidade e respeito em seus dirigentes. O combustível da democracia é a moral na política.

Artigo "Nossa democracia indecente" – jornal *Correio Braziliense* (06/06/2017)

♦

Apesar de seus instrumentos intactos, a democracia está em crise por causa das indecências que a rodeiam, especialmente os maus exemplos de seus líderes. Hoje, há um divórcio entre líderes e povo. A legalização de privilégios fez a democracia brasileira indecente.

Artigo "Nossa democracia indecente" – jornal *Correio Braziliense* (06/06/2017)

♦

Viciamo-nos em uma democracia que ajusta a economia aos interesses de cada indivíduo ou corporação, mas não ao interesse de todos. Nossa Constituição pode até ser cidadã, mas não é patriótica. Representa os interesses dos cidadãos, mas não o interesse patriótico do conjunto da nação.

Artigo "Mudar a ótica" – *Jornal do Commercio* (11/07/2008)

Não conseguimos realizar os dois propósitos da democracia: aglutinar a população atual e conduzir a nação ao futuro desejado. Não construímos uma sociedade que permita colocar o Brasil entre as nações com elevado grau de civilização e civilidade: com economia eficiente, inovativa, produtiva, distribuindo renda com justiça, em equilíbrio ecológico; uma sociedade sem pobreza, sem violência, com cidades bonitas, pacíficas, com eficiência em todos os seus serviços.

Artigo "Democracia desperdiçada" – jornal *O Globo* (11/06/2016)

♦

Não temos uma democracia limpa, porque nossa democracia não é plena de liberdade, porque não fomos capazes de fazer o povo participar com sentimento de nação. Democracia limpa é uma democracia sem analfabetismo, com educação de qualidade para todos.

Pronunciamento no plenário do Senado (11/09/2009)

♦

Se os Senhores Generais que hoje governam o país ouvissem um conselho nosso, lhes diríamos que colocassem de lado, por algum tempo, aqueles livrinhos onde aprendem a dar continências garbosas e estudassem um pouco mais de história, para sentirem que é fácil prender um jovem por vários anos, mas é impossível calar toda a juventude, mesmo que por algumas semanas.

Discurso de formatura na Escola de Engenharia de Pernambuco (1966)

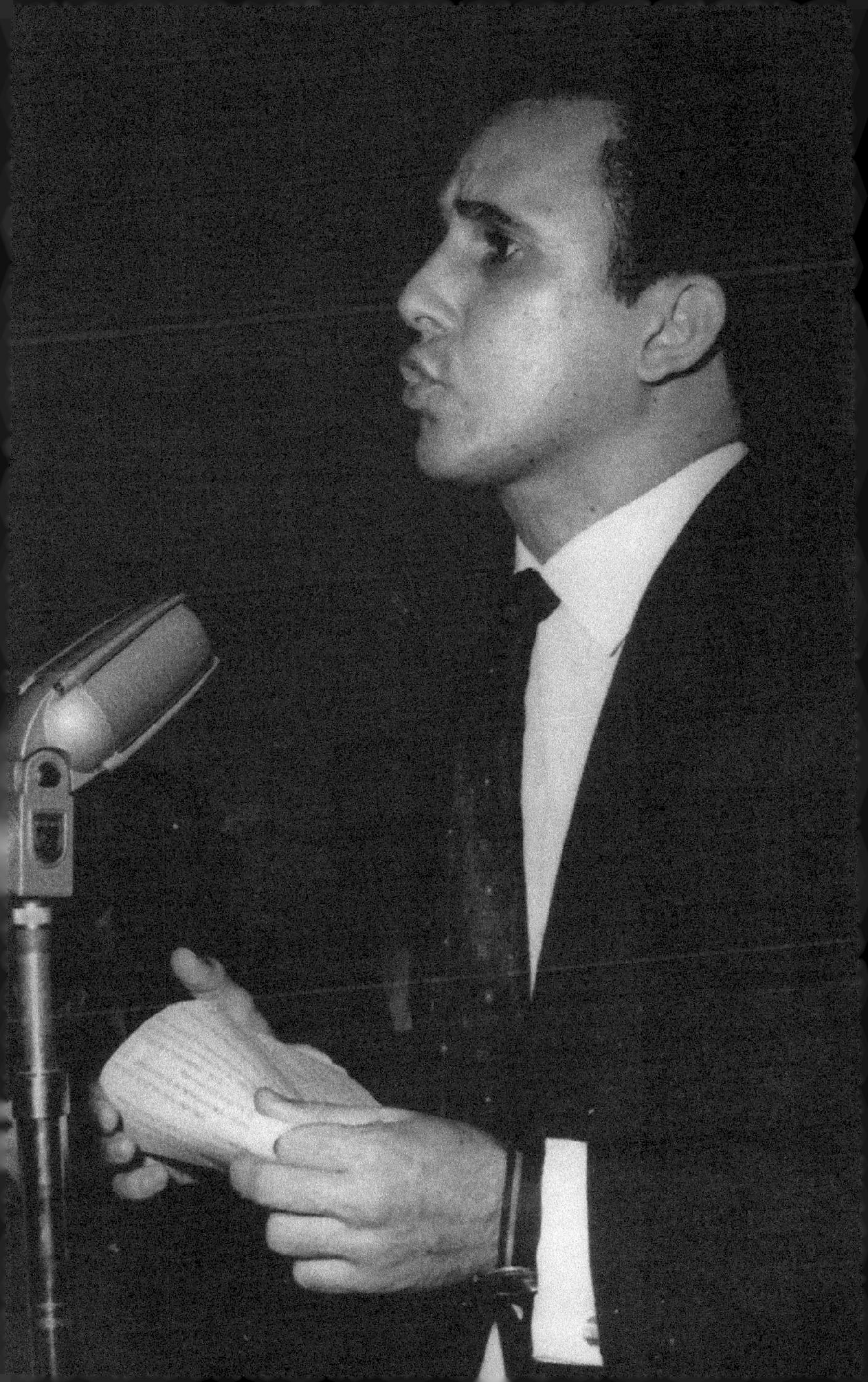

GLOBALIZAÇÃO

GLOBALIZAÇÃO

A globalização vai impondo uma só forma de ver, de pensar, de usufruir, um só padrão de beleza e de verdade. O assassinato da diversidade cultural, que mata línguas, costumes e visões de mundo, é um crime da economia global contra a humanidade.

Proposta de criação de um tribunal internacional para julgar crimes contra o futuro da humanidade (2012)

◆

Reaja ao mundo dividido por fronteiras políticas artificiais que separam seres humanos. A globalização exige solidariedade internacional: globalizar a mente e os corações, não apenas os bolsos e as contas.

Livro *Reaja!* (2012)

◆

Enquanto não chegar o tempo da democracia planetária nem dos partidos internacionais, a democracia global terá de aceitar o papel crescente das ONGs como instrumentos de interferência política e social para levar em conta os valores internacionais em formação.

Texto "Democracia e globalização" – reunião anual do *think tank* Clube de Roma, no Rio de Janeiro (ago. 2005)

Enquanto se surpreendem positivamente com a rápida integração mundial, os homens se espantam com a divisão da sociedade humana dentro da nova aldeia global. Se este foi o século da integração do planeta, foi também, paradoxalmente, o século da ampliação da desigualdade e da desintegração social. A integração mundial dos homens de todos os países ocorreu quase simultaneamente a uma radical desintegração do homem dentro de cada país, provocando um susto de final de século: a construção de uma integração desintegradora – o assombro de ter sido possível integrar de forma tão estreita os homens entre si e, ao mesmo tempo, desintegrar o homem em si.

Livro *A cortina de ouro: os sustos do final do século e um sonho para o próximo* (1995)

♦

Nos últimos anos, ingressamos na globalização sem manter os valores fundamentais de nossa identidade. Construímos uma integração mundial para poucos que, a cada dia, se sentem menos brasileiros e deixamos de lado os muitos que, a cada dia, se sentem menos gente.

Livro *A segunda abolição: um manifesto-proposta para a erradicação da pobreza no Brasil* (1999)

♦

Reaja contra a globalização que começa por cima, universalizando os ricos, em vez da sonhada internacionalização que nasceria por baixo, unindo os trabalhadores.

Livro *Reaja!* (2012)

O governo diz que inseriu o Brasil na globalização, sem perceber que foi a globalização que incorporou uma parte de nossa população ao mundo global do consumo e da especulação internacional, destruindo valores nacionais e dividindo o país.

Livro *Os instrangeiros: a aventura da opinião na fronteira dos séculos* (2002)

♦

O mundo ficou pequeno, mas, no lugar de incluir a todos, preferiu-se cortar o planeta com uma cortina de ouro separando os beneficiados dos excluídos do progresso. O erro está no sucesso técnico e econômico sem uma orientação ética que permita distribuir o bem-estar como forma de evitar a necessidade de migração em massa, porque a riqueza atrai a pobreza na razão direta da desigualdade e na razão inversa da distância entre elas.

Artigo "O erro do sucesso" – jornal *O Globo* (19/09/2015)

♦

Criamos uma globalização que aproximou seres humanos, não importa a que distância estejam, e os afastou mesmo quando habitam na casa ao lado – ainda mais se sobrevivem em uma tenda ou debaixo da marquise do prédio da esquina.

Livro *Os instrangeiros: a aventura da opinião na fronteira dos séculos* (2002)

Está na hora de o mundo inteiro – e a proposta poderia sair do Brasil – fazer um novo Plano Marshall, agora não só para a recuperação das indústrias, como foi o Marshall anterior para a Europa. Um plano que faça com que a educação das crianças na África receba recursos do mundo inteiro, para que possam estudar em suas aldeias, como estudam as crianças na Europa. Seria um Plano Marshall Global, para um mundo global e solidário.

Pronunciamento no plenário do Senado (20/03/2009)

♦

Como humanista, aceito defender a internacionalização do mundo. Mas, enquanto o mundo me tratar como brasileiro, lutarei para que a Amazônia seja nossa. Só nossa.

Evento State of the World Forum, em Nova Iorque, Estados Unidos (2000)

♦

As informações do mundo foram integradas, mas não os sentimentos dos homens. Esse é um dos riscos da globalização.

Texto "As quatro cortinas globais" – seminário organizado pela Academia da Latinidade, em Baku, Azerbaijão (2006)

ECONOMIA

ECONOMIA

Pelo menos cinco cores são necessárias para definir a economia do futuro: o verde da sustentabilidade ambiental; o vermelho da justiça social; o branco de uma economia produtiva para a paz; o amarelo da criação de bens de alta tecnologia; e o azul da economia comprometida mais com o bem-estar do que com a produção e a renda.

Livro *As cores da economia* (2013)

♦

O avanço da economia exige o domínio da ciência econômica, para que esta incorpore a necessidade de beleza no mundo que ela constrói, por meio da harmonia dos homens entre eles, bem como deles com seus produtos e com a natureza.

Livro *Da ética à ética: minhas dúvidas sobre a ciência econômica* (2012)

♦

A economia consciente, ou humanista, diferentemente da economia natural ou animal, deve tratar o crescimento não mais como o propósito do sistema econômico, mas como uma das bases de uma economia que não provoque desemprego; utilize a natureza sem depredá-la; não considere com valor positivo os produtos negativos, tais como armas e drogas nocivas; busque construir o bem-estar mais do que apenas ampliar a soma dos valores de mercado dos produtos.

Livro *Desafios à humanidade: perguntas para a Rio+20* (2013)

Hoje a economia está se recuperando, o emprego está voltando, mas repetindo a mesma economia do passado, sem produtividade, sem competitividade, sem inovação, velha. A gente precisa fazer com que este país tenha uma economia que, além de crescer, seja diferente, compatível com o século XXI e com o terceiro centenário da nossa independência.

Pronunciamento no plenário do Senado (13/11/2017)

◆

Cabe à economia procurar objetivos e processos para um novo tipo de crescimento, que seja subordinado à ética, leve em conta os objetivos sociais e o respeito ecológico e considere as técnicas instrumentos, não indicadores de resultados.

Livro *Da ética à ética: minhas dúvidas sobre a ciência econômica* (2012)

◆

Sonho com uma economia orientada para a redução da pobreza, com respeito ao equilíbrio ecológico, e para o consumo subordinado ao bem-estar, e este à felicidade.

Artigo "O papa e o meteoro" – jornal *O Globo* (23/02/2013)

◆

A economia pode ser eficiente, produzir muito e não criar justiça. Mas a economia ineficiente não pode diminuir a injustiça.

Pronunciamento no plenário do Senado (20/11/2017)

A economia brasileira tem sido como aquele rei que andava nu, mas seus súditos eram levados a acreditar que ele estava vestido e ainda elogiavam seus trajes inexistentes. Nossos recordes de safra são comemorados como lindos trajes, mesmo quando uma parte da população passa fome; nossas exportações de sapatos são comemoradas como riqueza, mesmo quando o povo anda descalço; nossa produção de aviões é um feito, mesmo que sejamos campeões na concentração de renda; a relativa estabilidade de nossa moeda é um deslumbre, mesmo que isso aumente o desemprego; e o fato de nossas crianças se prostituírem aparece como melhora na balança de pagamentos pelo fluxo de dólares que o turismo sexual atrai, apesar da vergonha que nos causa.

Livro *Os instrangeiros: a aventura da opinião na fronteira dos séculos* (2002)

♦

O Produto Interno Bruto (PIB), na qualidade de indicador do crescimento, não considera os destroços nem as cinzas de seu processo. A economia do futuro precisa eliminar esses destroços e cinzas que aparecem, por exemplo: no tempo perdido pelas pessoas; na desarticulação das famílias; no endividamento de nações, empresas e indivíduos; na depredação da natureza; no acúmulo de lixo; na destruição ecológica; no vazio existencial e na "irracionalidade" do consumismo. Com a eliminação desses elementos causadores de destruição, será possível caminhar para uma economia construtiva.

Livro *A desordem do progresso: o fim da era dos economistas e a construção do futuro* (1991)

A evolução da economia levou a um imenso acúmulo de riquezas materiais, à redução das necessidades básicas e à melhoria do conforto para uma parcela da população, mas gerou sociedades vazias e uma natureza ameaçada em seu equilíbrio.

Livro *Desafios à humanidade: perguntas para a Rio+20* (2013)

◆

A ideia do Bolsa-Escola e a teoria do Keynesianismo Social e Produtivo me surgiram juntas, como irmãs gêmeas em que a primeira nasceu um pouco antes. Elas nascem com o conceito embutido de que o problema da pobreza é solucionado mais pela oferta de bens e serviços, produzidos pela própria população pobre mobilizada pelos incentivos sociais, do que por efeito do crescimento econômico, criando renda que permitiria a compra dos bens essenciais no mercado.

Livro *O erro do sucesso: a civilização desorientada e a busca de um novo humanismo* (2014)

◆

O desenvolvimentismo não pode ignorar a aritmética. Como vamos reduzir a taxa de juros, se o governo vai pedir empréstimos para cobrir o déficit fiscal, como faz hoje? Como é que a gente vai resolver o problema da falta de dinheiro nas universidades hoje, se gasta R$ 230 bilhões com o déficit da Previdência? Como é que a gente vai aumentar gastos na educação, como eu defendo, se o dinheiro vai para o déficit fiscal? Ignorar o déficit é demagogia, populismo.

Entrevista para o *site* de notícias *UOL* em resposta à pergunta sobre se o caminho para o Brasil não seria menos reformista e mais propositivo (10/04/2018)

◆

O Estado define os trilhos por onde avançam os desejos nacionais, mas é a sociedade que constrói e dirige a locomotiva que promove a economia.

Discurso na Conferência Nacional do PPS –
A Nova Agenda do Brasil (23/06/2018)

◆

Há dois tipos de economistas: uma maioria que se dedica a depredar os recursos naturais, para aumentar a riqueza de bens; e uns poucos que se preocupam em diminuir a pobreza, mantendo a riqueza natural.

Livro *"O futuro de um país tem a cara de sua escola no presente": e outras frases educacionistas* (2012)

MEIO AMBIENTE

MEIO AMBIENTE

Defenda os recursos naturais como patrimônio permanente da humanidade, sob os cuidados de cada nação e cada geração. De todos: do presente e do futuro. Defenda a necessidade de internacionalização moral do patrimônio comum da humanidade: as florestas, o oceano, o espaço, os museus. Lute pelos direitos daqueles que ainda não nasceram. Não aceite deixarmos para eles um mundo pior do que recebemos de nossos antepassados. Reaja ao suicídio que parece tomar conta da humanidade.

Livro *Reaja!* (2012)

♦

Se os EUA querem internacionalizar a Amazônia, pelo risco de deixá-la nas mãos de brasileiros, internacionalizemos todos os arsenais nucleares dos EUA. Até porque eles já demonstraram que são capazes de usar essas armas, provocando uma destruição milhares de vezes maior do que as lamentáveis queimadas feitas nas florestas do Brasil.

Evento State of the World Forum, em Nova Iorque, Estados Unidos (2000)

É preciso que o patrimônio natural do planeta seja garantido para as gerações futuras. Esse é um direito humano tão sagrado quanto os já reconhecidos e defendidos há 60 anos pela Declaração Universal. E vai exigir mudanças profundas no sistema produtivo e nos padrões de consumo das gerações atuais.

Artigo "Direitos globais" – jornal *O Globo* (28/02/2009)

♦

A cada ano percebemos crimes ecológicos, mas pouco fazemos para evitar novos acidentes e recuperar os efeitos provocados. A única forma seria mudar a mentalidade pela educação, no sentido de valorizar o meio ambiente combatendo a voracidade do consumo, que aceita destruir a natureza para aumentar a produção. Além disso, formar empresas responsáveis e governos incorruptíveis, atentos aos riscos ecológicos.

Artigo "Rio vivo" – jornal *Correio Braziliense* (17/11/2015)

♦

Tanto quanto a população, a terra brasileira está gravemente doente. Quinhentos anos de submissão do uso da terra a interesses econômicos que não consideram o valor da natureza levaram o Brasil a ter uma das partes mais depredadas do patrimônio ecológico da humanidade.

Livro *O colapso da modernidade brasileira e uma proposta alternativa* (1991)

Se a Amazônia é uma reserva para todos os seres humanos, ela não pode ser queimada pela vontade de um dono, ou de um país. Queimar a Amazônia é tão grave quanto o desemprego provocado pelas decisões arbitrárias dos especuladores globais. Não podemos deixar que as reservas financeiras sirvam para queimar países inteiros na volúpia da especulação.

Evento State of the World Forum, em Nova Iorque, Estados Unidos (2000)

◆

O humanismo foi irresponsavelmente arrogante em relação à natureza. Depredou os recursos naturais, comprometeu o equilíbrio ecológico e, em consequência, ameaça a continuidade da civilização. Passou a considerar a natureza como algo sem valor em si. Apenas o trabalho humano ou um preço definido pelo mercado representavam valor sobre uma Terra sem valor. Uma árvore só tinha valor depois de derrubada; um animal, depois de morto. O Novo Humanismo deverá atribuir valor à natureza, mesmo em sua condição pura, hoje chamada de *bruta*.

Livro *O erro do sucesso: a civilização desorientada e a busca de um novo humanismo* (2014)

◆

Frente à crise ecológica, a democracia é míope, faz o lixo global e o luxo nacional. Mas o lixo tomará conta do luxo, se a democracia dos países ricos não for controlada por uma ética superior aos interesses imediatos e mesquinhos da geração atual.

Livro *Os instrangeiros: a aventura da opinião na fronteira dos séculos* (2002)

Não é novo quem não defende um projeto de desenvolvimento sustentável. Não é novo ficar preso apenas ao objetivo do PIB. O novo exige uma economia que respeite as florestas, os rios, a natureza.

Discurso no plenário do Senado (21/06/2017)

◆

Todos os dias, neste espetáculo civilizatório, derrubamos as florestas e concentramos a renda, matamos o campo e inviabilizamos as cidades, destruímos a natureza e deformamos a humanidade. Mas, no lugar da eutanásia geral, por que não matamos o perverso e ilógico modelo que sacrifica a todos no mundo global do neoliberalismo?

Livro *Os tigres assustados: uma viagem pela fronteira dos séculos* (1999)

◆

O poder tecnológico chegou a tal ponto que o planeta está atravessando uma nova era geológica, o Antropoceno, induzida pela inteligência e pelas mãos dos humanos. Mas, ao desequilibrar a ecologia, o poder da humanidade ameaça a própria humanidade. O grande desafio do futuro é saber como a civilização pode usar a inteligência, seu poder lógico, sem provocar mudanças climáticas ou como adaptar-se desde já às mudanças irreversíveis.

Livro *Desafios à humanidade: perguntas para a Rio+20* (2013)

ÉTICA

ÉTICA

Ao se sentirem diferentes em relação aos negros, os brancos formularam uma ética que lhes permitiu não sentir responsabilidade nem culpa diante da escravidão, da mesma forma como os europeus não sentiam com o genocídio dos índios das Américas; os nazistas em relação à solução final contra os judeus; e os ricos brasileiros diante da pobreza urbana, da fome ao redor, da mortalidade infantil, do assassinato de meninos de rua.

Livro *O que é apartação: o apartheid social no Brasil* (1993)

♦

Acostumar-se é morrer. Reaja aos costumes da corrupção na política, no exercício profissional ou nas relações pessoais. Não aceite o jeitinho de furar fila, colar nas provas, molhar a mão de fiscal.

Livro *Reaja!* (2012)

♦

O avanço técnico está induzindo novos valores morais, que representam uma regressão nos sentimentos humanistas, como escolha do sexo do embrião, manutenção artificial da vida, uso da genética e da biotecnologia na indução de mutação biológica, que certamente só beneficiará a uma parte dos seres humanos.

Livro *Desafios à humanidade: perguntas para a Rio+20* (2013)

Reaja ao sentimento de que a culpa é dos outros. Todos somos responsáveis, por ação ou por não agir, ao escolher a omissão e a alienação.

Livro *Reaja!* (2012)

◆

A ficha limpa pode melhorar a ética dos políticos, mas não vai necessariamente mudar a ética nas políticas, fazê-la definidora de prioridades éticas. Não merece ficha limpa o país que tiver seus políticos com ficha limpa porque não roubam para si, mas continuam mantendo privilégios inclusive para si, investindo o dinheiro público nas mesmas prioridades de políticas em benefício das classes privilegiadas no presente, ao invés de beneficiar todo o povo e as futuras gerações.

Artigo "A ficha do Brasil" – jornal *O Globo* (24/03/2012)

◆

O século XX foi o da técnica; o XXI será o da ética, ou não teremos o que festejar daqui a cem anos.

Livro *Os instrangeiros: a aventura da opinião na fronteira dos séculos* (2002)

O apagão da ética nos impede de sofrer com a miséria que nos cerca e nos torna tolerantes com a corrupção nas prioridades, a vergonha do analfabetismo, o abandono e a exploração de crianças, a atração dos jovens para o crime.

Artigo "O pior apagão" – jornal *O Globo* (21/07/2007)

♦

O que faz uma sociedade eficiente e ética é o acesso igual à educação, independentemente da renda dos pais, do tamanho da cidade e da região onde mora cada criança.

Artigo "O nome do desenvolvimento" – *Jornal de Brasília* (14/12/2007)

♦

Depois de séculos brincando com Deus, ao ampliar o horizonte de suas explicações, os cientistas passam a brincar de Deus, ampliando o poder de suas interferências, em um jogo no qual tudo se passa como se o êxito maior da ciência, ao explicar o mundo, carregasse o germe de seu fracasso, ao ameaçar destruí-lo com o saber criado. Conhecem os meios, mas não têm o controle dos resultados. Salvo se dispuserem de uma normatização ditada por valores éticos. Criamos o poder de destruição planetária, mas não criamos uma consciência planetária.

Livro *A desordem do progresso: o fim da era dos economistas e a construção do futuro* (1991)

A crise é, sobretudo, ética, pois é ela que pode resgatar o compromisso da economia e dos governos com o bem-estar das populações. Essa ética só pode germinar, progredir e produzir mudanças se encontrar terreno favorável no âmbito da sociedade. São os cidadãos do mundo inteiro que, conscientes dos riscos provenientes da irracionalidade do modelo de produção e consumo que vivemos, podem efetivamente produzir a mudança.

Proposta de criação de um tribunal internacional
para julgar crimes contra o futuro da humanidade (2012)

♦

Não é contemporânea do futuro a universidade que forma engenheiros sem ética; filósofos sem respeito à natureza; geógrafos sem consciência da relação Terra-Homem-Terra; economistas sem percepção da pobreza e dos custos ecológicos; profissionais sem sentimento para deslumbrar-se com as belezas e sem ética para indignar-se com as injustiças do mundo.

Discurso na Cerimônia de outorga do título de
Professor Emérito, na Universidade de Brasília (2012)

♦

Crianças que deixam a escola para trabalhar crescem sem receber formação educacional adequada. No futuro, não conseguirão se inserir no mercado de trabalho, enfrentarão a miséria e o desemprego e condenarão seus filhos ao mesmo futuro. Essa é uma questão ética, como era a questão da escravidão no século XIX, e requer ações radicais.

Livreto *Trabalho infantil: realidade e perspectivas* (2017)

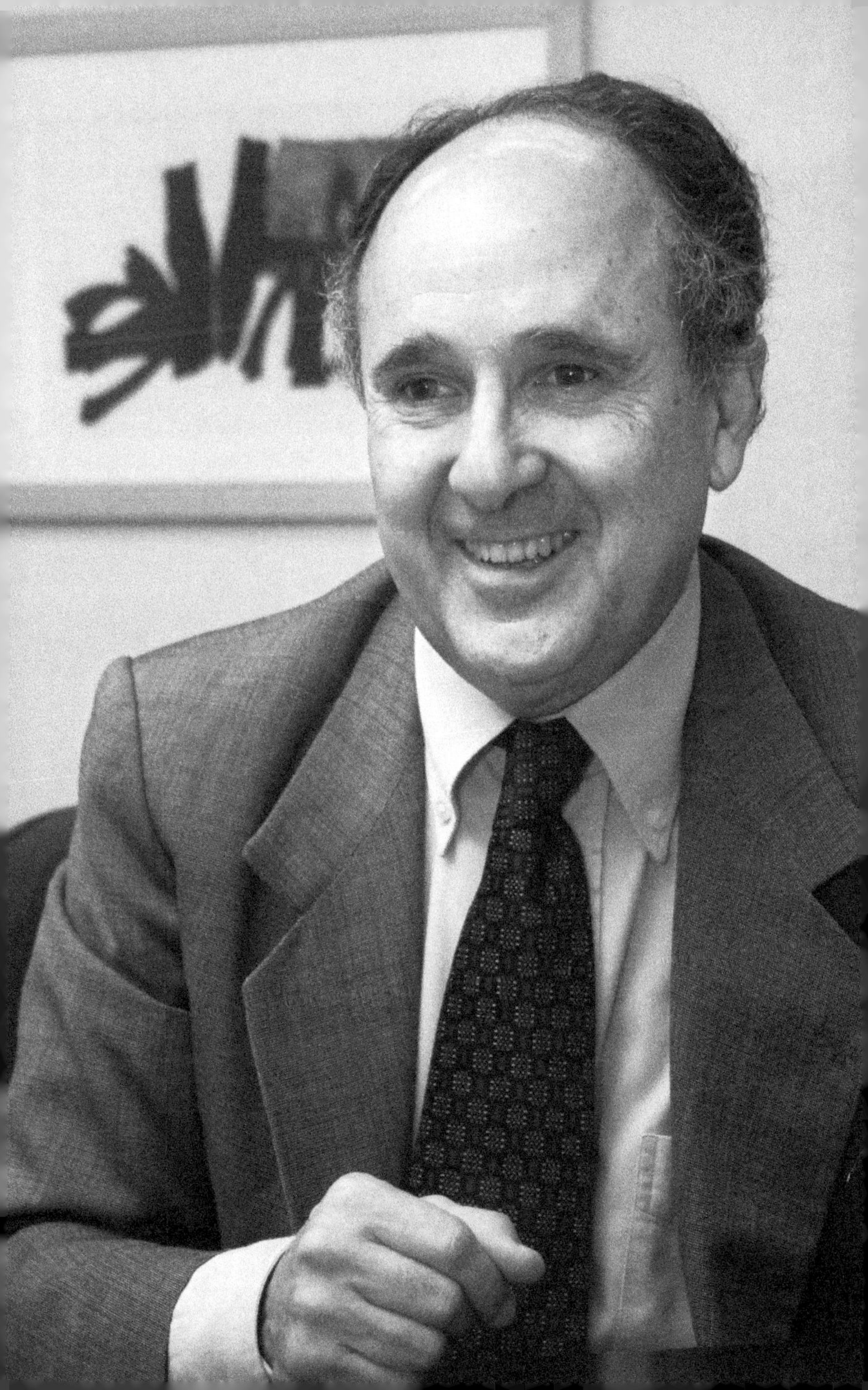

EDUCAÇÃO

EDUCAÇÃO

Galeano escreveu um bom livro sobre as veias abertas por onde o colonialismo e o imperialismo levaram as riquezas minerais da América Latina. Esqueceu que a nossa tragédia vem menos das veias abertas pelo comércio que dos cérebros tapados pelo desprezo à educação. E a causa não são mais as nações imperialistas, e sim a própria vontade política dos governantes que elegemos, iludindo com seus discursos demagógicos e populistas.

Livro *Reaja!* (2012)

♦

Se um país inimigo desejasse nos invadir, a melhor estratégia seria impedir a educação do povo brasileiro, como estamos fazendo.

Livro *"O futuro de um país tem a cara de sua escola no presente": e outras frases educacionistas* (2012)

♦

O povo brasileiro percebe a corrupção no comportamento dos políticos, mas fecha os olhos para a corrupção nas prioridades das políticas. A maior dessas corrupções é o abandono da educação do povo brasileiro.

Livro *"O futuro de um país tem a cara de sua escola no presente": e outras frases educacionistas* (2012)

Além de atrasada, pobre e incompetente, a educação no Brasil é uma fábrica de desigualdade. Em vez de criar identidade e integração nacional, a educação tem sido uma poderosa criadora de desigualdade, dependendo da renda familiar, do nível de escolarização de seus pais ou da cidade onde a criança vive.

Livro *A revolução republicana na educação:*
ensino de qualidade para todos (2011)

♦

O Brasil precisa de uma escola igual para todos: o filho do trabalhador na mesma escola que o filho do patrão; o filho do pobre na mesma escola que o filho do rico; a escola da favela igual à escola do condomínio. Isso só acontecerá quando o filho do eleito estudar na mesma escola que o filho de seu eleitor.

Livro *"O futuro de um país tem a cara de sua escola no presente":*
e outras frases educacionistas (2012)

♦

O Brasil só será um país educado quando, ao nascer uma criança, seus pais sonharem que ela siga a profissão de professor quando crescer.

Livro *Educação é a solução: é possível!* (2012)

Alfabetizarás o teu próximo como a teu próprio filho.

Livro *"O futuro de um país tem a cara de sua escola no presente": e outras frases educacionistas* (2012)

♦

Sem educação de qualidade para todos, não teremos a produtividade que permita a necessária riqueza para sair da baixa renda social nem o potencial de inovação capaz de dar ao Brasil a competitividade necessária para enfrentar a globalização, ainda menos o vetor distributivista para desconcentrar a renda social.

Artigo "Outra forma de escravidão" – jornal *Correio Braziliense* (20/11/2017)

♦

Para fazer a mudança de rumo, o Brasil precisa federalizar a educação de base: selecionar os professores em concursos nacionais, pagar-lhes salários de nível federal, exigir deles dedicação exclusiva, em escolas bonitas, confortáveis e equipadas com os mais modernos instrumentos da pedagogia, e todas em horário integral. Esse não é um projeto de implantação imediata, mas cada ano adiado para o seu início corresponde a um pedaço perdido do futuro.

Artigo "Tem volta" – jornal *Correio Braziliense* (30/05/2009)

O problema do emprego passa pela educação; o da violência passa pela educação; o da baixa produtividade da economia passa pela educação; o da saúde passa pela educação. É o eixo, o vetor.

Pronunciamento no plenário do Senado (13/11/2017)

◆

Na atual civilização baseada no conhecimento, não será possível um país evoluir se cerca de 13 milhões de pessoas (8% da população adulta) são analfabetas, incapazes de ler até mesmo o lema "Ordem e Progresso", escrito em sua bandeira; se mais de 26 milhões (18%) de adultos são analfabetos funcionais, incapazes de entender o que leem; se o acesso à educação de qualidade for um privilégio para as poucas famílias que podem pagar por uma boa escola.

Artigo "Sob os olhos" – jornal *O Globo* (10/06/2017)

◆

Não mudamos até aqui porque não tentamos o que os outros países usaram: educação. E só vamos mudar se entendermos que nosso rumo futuro deverá vir por uma revolução educacional.

Livro *Brasil, brasileiros. Por que somos assim?* (2017)

ESCOLA

ESCOLA

Reaja contra o genocídio cultural, que ainda hoje escraviza 800 milhões de adultos analfabetos, e lute contra a deseducação de 3 bilhões de analfabetos funcionais ou com alguns poucos anos de escolaridade. Reaja ao holocausto intelectual, à estupidez do forno crematório de cérebros, que transforma em massa inconsciente o potencial de centenas de milhões de talentos, gênios que deixam de dar a colaboração que poderiam para um mundo melhor e mais belo só porque, como uma flor, não foram regados no momento oportuno por uma escola de qualidade.

Livro *Reaja!* (2012)

♦

Os antigos diziam que a vida não é plena sem gerar um filho e plantar uma árvore; é preciso acrescentar: e alfabetizar uma pessoa.

Livro *Reaja!* (2012)

♦

Se alguém tivesse dormido por 30 anos e agora acordasse, não reconheceria um banco, um supermercado, uma casa lotérica, um aeroporto, mas reconheceria a escola dos pobres: ela não mudou.

Livro *"O futuro de um país tem a cara de sua escola no presente": e outras frases educacionistas* (2012)

As pessoas nascem algemadas e a algema só é aberta quando se entra na escola. É a escola que tira a pessoa da escravidão. Fora da escola você é prisioneiro, você é escravo: escravo da sua falta de conhecimento numa sociedade da leitura.

Livreto *Trabalho infantil: realidade e perspectivas* (2017)

♦

Por não construirmos um sistema educacional que ofereça escola com a máxima qualidade igual para todos, estamos ficando na história como mais uma geração de líderes incapazes de dar coesão e rumo à nação.

Livro *Retrato de uma década perdida* (2017)

♦

A escola, e só a escola, pode levar à travessia da cortina de ouro. A educação é a barca que permite a cada indivíduo saltar a cortina de ouro e atravessar o mediterrâneo social; e só quando todos os seres humanos tiverem acesso à educação será possível a verdadeira travessia: a mudança dos conceitos de progresso e a tolerância, o sentimento de que a diversidade sem exclusão enriquece a humanidade.

Livro *Mediterrâneos invisíveis: os muros que excluem pobres e aprisionam ricos* (2016)

Muitos pensam que outros países têm boas escolas porque são ricos; na verdade, eles são ricos porque têm boas escolas.

Livro *"O futuro de um país tem a cara de sua escola no presente": e outras frases educacionistas* (2012)

◆

Lute para que os filhos dos trabalhadores estudem nas mesmas escolas que os filhos dos patrões. E cada um evolua conforme seu talento, vocação e persistência – não pela sorte lotérica da renda dos pais. Lute pelo direito democrático de funcionamento de escolas privadas e para que um dia elas se tornem desnecessárias, graças à qualidade de toda escola pública.

Livro *Reaja!* (2012)

◆

Reaja contra as desigualdades; sobretudo, contra a mãe de todas elas: a educação desigual. Veja com horror a cara do futuro do país retratada nas decrépitas escolas de hoje. Veja e reaja. Seja um educacionista: no lugar de querer um país rico para, só então, fazer a boa escola para todos, queira a boa escola para todos como o caminho para fazer o país rico.

Livro *Reaja!* (2012)

O motor da escola é o professor. Sempre será. Mesmo quando ele estiver escondido no software de um computador.

Livro *"O futuro de um país tem a cara de sua escola no presente": e outras frases educacionistas* (2012)

♦

Em um país com desigualdade regional, a escola igual para todos só é possível com a federalização da educação de base.

Livro *"O futuro de um país tem a cara de sua escola no presente": e outras frases educacionistas* (2012)

♦

Mais triste do que ver a tragédia no rosto daquelas crianças no presente é prever que seus filhos terão o mesmo futuro. Nenhum país se constrói com alunos que vão à escola apenas por causa da merenda ou da bolsa-escola. Esses dois instrumentos são necessários, mudam o dia a dia, mas não mudam o destino das pessoas. Se a escola não tem a qualidade necessária, a realidade não muda, não se constrói o futuro. O futuro de um país tem a cara da sua escola pública.

Livro *Retrato de uma década perdida* (2017)

Se as escolas do Brasil fossem mostradas ao povo como nos programas de *reality shows*, talvez o país despertasse para a tragédia que estamos construindo.

Livro *"O futuro de um país tem a cara de sua escola no presente": e outras frases educacionistas* (2012)

♦

Os pioneiros da educação, há 80 anos, e Paulo Freire, há 50, defendiam que a escola precisa respeitar o aluno. Para eles, a escola deve ser libertária, e não uma prisão. A imposição de disciplinas é uma forma de palmatória intelectual. A escola tem que estar ao gosto do aluno.

Artigo "Ouçam as crianças" – jornal *O Globo* (1º/10/2016)

ESQUERDA

ESQUERDA

A esquerda exige certas características: compaixão com os pobres, os perseguidos, os excluídos e as vítimas de preconceitos; compromisso com o avanço técnico a serviço do povo e da humanidade; sentimento nacional integrado na civilização universal; busca da paz entre povos e dentro de cada povo, mas exige também respeito à verdade dos fatos.

Artigo "Esquerda e exquerda" – jornal *Correio Braziliense* (18/10/2016)

◆

Sou de esquerda porque ainda uso meu curto tempo de vida para escrever textos como este, preocupado com os rumos da humanidade, mesmo sabendo da pouca chance de influir nesses rumos, que parecem ter uma dinâmica própria em direção ao desastre social e à ignorância ética.

Livreto *Apesar de tudo, sou de esquerda* (2015)

◆

Diferentemente da "esquerda festiva", que fez revoluções na estética e nos costumes, a "esquerda nostálgica" não contribui para a transformação estrutural da sociedade e da economia; louva o passado, se agarra ao presente e comemora pequenas conquistas assistenciais.

Artigo "Esquerda nostálgica" – jornal *O Globo* (30/04/16)

Ser de esquerda significa inconformismo com a realidade social, política, econômica e ética do país; ter expectativa de que é possível um mundo melhor e de que ele só é construído pela prática política.

Artigo "Esquerda, golpe, impeachment" – jornal *Correio Braziliense* (16/08/2016)

♦

É lamentável que parte da esquerda, por preconceito e corporativismo, caia na cegueira de preconceitos que a impede de ver o que é melhor para o Brasil e para o povo. E ainda se considera de esquerda, embora presa a mitos e reacionarismos.

Artigo "Esquerda e exquerda" – jornal *Correio Braziliense* (18/10/2016)

♦

Universalmente, todas as esquerdas ficaram cansadas; todos os públicos parecem se afastar da política; todos os sonhos parecem dormir.

Livro *A revolução na esquerda e a invenção do Brasil* (1992)

♦

A esquerda deve olhar para o futuro, e não para o passado; pelo para-brisa, e não pelo retrovisor da história, assumindo a liderança das reformas necessárias.

Artigo "Impeachment incompleto" – jornal *O Globo* (03/09/2016)

A esquerda de hoje precisa apresentar alternativas à exaurida civilização industrial. Ela deve ter resposta para os esgotamentos: social, existencial, fiscal, de endividamento. O ponto de partida para isso não é econômico, é moral. O que define ser de esquerda hoje não é a sigla do partido ao qual o militante pertence nem a opção para a estrutura econômica, mas a opção ética que ele faz para o mundo adiante.

Artigo "A esquerda que queremos" – revista *Profissão Mestre* (set. 2011)

♦

Sou de esquerda porque reconheço os erros da esquerda, no passado e no presente, especialmente a esquerda que tentou reprimir religiosidade e gostos, querendo impor um só padrão cultural, o europeu, cristão ou ateu, a todo o mundo, e porque, diferentemente da esquerda do passado, defendo a plena liberdade individual, o livre circular das ideias, a imprensa livre.

Livreto *Apesar de tudo, sou de esquerda* (2015)

♦

A crise pela qual passa a esquerda no Brasil se deve ao fato de a socialdemocracia não representar mais o "novo" na sociedade. Outros segmentos também não representam inovação na política, mas a esquerda tinha obrigação de assumir esse papel. O campo ideológico da esquerda precisa evoluir suas ideias, apegar-se mais a projetos de sociedade do que a siglas, além de defender mais sonhos do que sindicatos e mais revoluções do que reivindicações.

Entrevista de Josué Jr. para o *site LinkeZine* (25/06/2017)

A democracia na política, a eficiência na gestão pública, a liberdade de expressão, o respeito à aritmética fiscal, a ética no comportamento pessoal são compromissos fundamentais e inegociáveis na nova esquerda.

Artigo "Uma outra esquerda" – jornal *Correio Braziliense* (04/10/2016)

♦

No Brasil, esquerda e direita fizeram um pacto de espera, ambas pedindo paciência ao povo.

Livro *Os instrangeiros: a aventura da opinião na fronteira dos séculos* (2002)

♦

O maior crime da esquerda não foi tolerar a corrupção no seu governo, mas não ter usado esse governo para erradicar o analfabetismo no Brasil.

Discurso na Conferência Nacional do PPS – A Nova Agenda do Brasil (23/06/2018)

♦

Não fui eu que mudei; foi a esquerda que envelheceu.

Discurso durante a sessão que analisou a admissibilidade do processo de *impeachment* da Presidente Dilma Rousseff (11/05/2016)

FUTURO

FUTURO

Veja com desconfiança um mundo cercado de muralhas por todas as partes, nos condomínios e *shoppings*. Pense como será seu país quando for governado por crianças que jamais colocaram os pés nas ruas de suas cidades, que veem o mundo pelas grades de seus jardins ou pelos vidros escuros dos carros de suas famílias, por dentro dos *shoppings* ou das escolas, por causa do tamanho dos muros que os rodeiam. Pense também como será o seu país se vier a ser governado pelos que cresceram do outro lado do muro, carregando desejos não realizados, mágoas aumentadas.

Livro *Reaja!* (2012)

♦

Transforme a impossibilidade de salvar a humanidade na justificativa de sua luta. É como as altas montanhas: se é impossível subir, mais razão ainda para tentar.

Livro *Reaja!* (2012)

♦

Talvez o mais grave deste momento histórico seja nosso desprezo para com o amanhã, pois, sem coesão no presente e sem rumo para o futuro, somos um país ameaçado por nós próprios. Não conseguimos pensar e formular metas e estratégias para os próximos 20, 50, 100 anos.

Livro *Brasil, brasileiros. Por que somos assim?* (2017)

O futuro de cada país decorre da formação de seus cidadãos, da capacidade de usar o potencial de seus cérebros. No Brasil, não haverá futuro se continuarmos a desprezar a formação intelectual de nossas crianças até a idade adulta.

Artigo "Outra forma de escravidão" – jornal *Correio Braziliense* (20/11/2017)

♦

O retrato do mundo atual, que o Brasil representa, pode servir para que esse país elabore o retrato do mundo do futuro, em que ética e modernidade se casem: em uma sociedade que respeite as liberdades individuais, elimine toda forma de apartação, concentre o esforço humano na ampliação do patrimônio cultural das sociedades e proteja o equilíbrio ecológico, sem abandonar, mas considerando por último, o sonho do consumo supérfluo como parte da meta civilizatória.

Livro *Os instrangeiros: a aventura da opinião na fronteira dos séculos* (2002)

♦

Continuamos como um país do futuro que não faz questão de chegar lá. Um país que caminha, no lugar de um país com um destino a realizar: incorporar todos nos benefícios de seus recursos.

Livro *Sou insensato* (2007)

O novo homem será o produto de um esforço internacional pela educação global.

Livro *O erro do sucesso: a civilização desorientada e a busca de um novo humanismo* (2014)

♦

A sensação é de que fomos cometendo erros, como se dobrássemos esquinas caminhando por um labirinto, sem saber o caminho para sair das amarras que nos impedem de progredir civilizada e sustentavelmente.

Artigo "O labirinto de nossos erros" – jornal *O Globo* (11/10/2017)

♦

A Europa precisa perceber que o seu modelo civilizatório baseado no aumento da riqueza material se esgotou. É preciso mudar o propósito civilizatório; definir um modelo de bem-estar e felicidade com base na frugalidade, na austeridade e no convívio universal; adotar uma globalização libertária e socialmente includente no lugar da expansão econômica imperialista e excludente.

Livro *Mediterrâneos invisíveis: os muros que excluem pobres e aprisionam ricos* (2016)

Quando olho ao redor, sinto-me preparado. Quando comparo com as outras alternativas que temos, sinto-me preparado. Quando comparo com as propostas dos outros, creio que estou na linha correta de como trazer coesão e dar um rumo para o país.

Pronunciamento no plenário do Senado sobre possível candidatura à Presidência da República (13/11/2017)

♦

O corporativismo e suas múltiplas republiquetas sindicais ou institucionais se digladiam de forma não violenta, criando uma instabilidade desagregada que lembra uma guerra civil sem bombas, ou com bombas, ainda que sem guerra civil.

Texto "Educação como o vetor para o turning point: por que e como" – palestra no evento 7th Lemann Dialogue, em Illinois, Estados Unidos (2017)

♦

A crise que atravessamos deve ser resolvida pelas urnas, não pelas armas; pelos políticos, não pelos militares. Quem tem conhecimento histórico sabe que uma ditadura não permite corrigir seus erros.

Artigo "O suicídio da democracia" – jornal *Correio Braziliense* (09/10/2017)

POLÍTICA

POLÍTICA

Há governos que constroem viadutos para automóveis. Preferi construir viadutos para o futuro, investindo na educação e na saúde das crianças. Para isso, mudei da profissão de engenheiro para a função de político.

Livreto *UnB: 55 anos* (2017)

♦

Os parlamentares precisam viver como o seu povo e sentir-se representantes dos eleitores, não uma casta distante, cuja preocupação central é manter privilégios privados financiados com recursos do povo, por meio de sucessivas reeleições.

Artigo "Duas forças da democracia" – jornal *Correio Braziliense* (07/06/2016)

♦

O maior desafio para os políticos nos próximos anos será atrair eleitores propondo resultados de longo prazo, à custa de sacrifícios imediatos. Nos próximos anos, não haverá bons políticos que não sejam estrategistas globais de longo prazo.

Livro *Admirável mundo atual: dicionário pessoal dos horrores e esperanças do mundo globalizado* (2001)

Os juízes devem prender os políticos corruptos, mas só os eleitores podem escolher os honestos.

Coluna do jornal *Estadão* (20/03/2018)

♦

Infelizmente, estamos viciados nos velhos propósitos da sociedade de consumo e nos velhos métodos da política eleitoreira. Assim fica difícil reorientar o projeto civilizatório do país, em direção a uma modernidade-ética, sem corrupção no comportamento dos políticos nem nas prioridades da política. Só uma invenção desse tipo de projeto será capaz de acabar com o desespero e o descontentamento e pacificar a guerrilha cibernética já em marcha.

Artigo "Guerrilha cibernética" – jornal *O Globo* (13/07/2013)

♦

Nunca tantos dirigentes se reuniram tantas vezes e por tanto tempo, conduzidos perplexos e impotentes pelo movimento dos fatos e das coisas ao redor. Em vez de reorientarem os destinos da humanidade, os "dirigentes" – políticos e economistas – agem como simples compradores de tempo, adiando o desenlace da crise.

Livro *As cores da economia* (2013)

Entre os políticos responsáveis e os demagogos, os eleitores votarão pela ilusão. A crise política agravará a situação, até o dia em que a própria democracia desmorone e um regime autoritário, embora dentro de certo marco legal, imporá as saídas necessárias.

Artigo "Risco das ilusões" – jornal *O Globo* (25/02/2012)

♦

Qualquer observador atento, no país ou no exterior, se pergunta onde erramos, como deixamos isso acontecer. Provavelmente, a resposta está no fato de que a política tem esquecido o Brasil. Alguns fazem política para locupletarem-se, enriquecerem pela corrupção; outros, para se manterem no poder a qualquer custo; e outros, para atenderem a interesses de grupos que representam. Raríssimos fazem política pensando no bem maior do conjunto da população. Destes, quase nenhum pensa na população futura.

Artigo "Falta o Brasil" – jornal *Correio Braziliense* (21/06/2016)

♦

Houve um tempo em que o debate político se fazia entre capitalistas, reformistas, socialistas, trabalhistas, comunistas, desenvolvimentistas; hoje ele está limitado a impeachmistas e anti-impeachmistas.

Artigo "Impeachmistas e anti-impeachmistas" –
jornal *Correio Braziliense* (27/10/2015)

Quando a política não é capaz de mover a nação ao progresso, a sociedade fica para trás em pobreza, violência, desigualdade, desencanto.

Artigo "Duas forças da democracia" – jornal *Correio Braziliense* (07/06/2016)

♦

Cada partido deve escolher entre ser um farol para o novo, mesmo sob o risco do fracasso eleitoral no presente, e exitosamente adaptar-se ao escuro do túnel em direção a um desastre social próximo.

Livreto *Coesão, rumo e esperança* (2017)

♦

O Brasil espera de nós mais do que estancar escândalos. Quer que demonstremos nosso poder de mudar o país, fazendo um Congresso que orgulhe a todos os brasileiros, ao realizar as mudanças que o Brasil espera há séculos, e justificando e consolidando a democracia, atraindo os jovens para a vida pública em vez de afastá-los, como hoje acontece.

Artigo "Quatro ações" – jornal *O Globo* (28/03/2009)

No Brasil, os políticos colocam a culpa nos servidores públicos, nos aposentados, na oposição, nos consumidores, em todos, menos neles próprios. De vez em quando, responsabilizam uma crise distante no exterior. Jamais reconhecem qualquer erro, descuido ou irresponsabilidade. Não pedem desculpas.

Livro *Os tigres assustados: uma viagem pela fronteira dos séculos* (1999)

♦

Este é um momento em que o Brasil velho resiste a desaparecer e outro novo resiste a surgir, e seus políticos não parecem interessados ou competentes para fazer a revolução, como coveiros do velho e parteiros do novo.

Discurso na Conferência Nacional do PPS – A Nova Agenda do Brasil (23/06/2018)

♦

Desejo um Brasil decente, onde os políticos não prometam o que não vão cumprir e onde o eleitor prefira o candidato que oferece um novo rumo para o país no lugar daquele que oferece mais vantagens para o próprio eleitor.

Artigo "Decente 2016" – jornal *Correio Braziliense* (05/01/2016)

TERRORISMO

TERRORISMO

As crianças do mundo devem estar se perguntando que religiões e deuses são estes, em nome dos quais tantos horrores são cometidos.

Livro *Os instrangeiros: a aventura da*
opinião na fronteira dos séculos (2002)

♦

A guerra contra o terror precisa envolver segurança, justiça e a prisão de terroristas, mas é uma guerra que não será vencida apenas pelas armas. Será necessário vencer politicamente, empregando esforços nas relações com os povos em meio aos quais ela se origina; ideologicamente, cuidando das relações com outras culturas; e educacionalmente, investindo na formação das crianças e dos jovens do mundo desde a infância.

Livro *Mediterrâneos invisíveis: os muros*
que excluem pobres e aprisionam ricos (2016)

♦

O mundo precisa fazer uma guerra contra o terrorismo, contra todas as formas de terrorismo, em todas as partes, e não apenas contra o terrorismo dos fanáticos escondidos que derrubaram as torres em Nova Iorque; há também os terroristas com endereço, inclusive em Nova Iorque, que matam na África e destroem o meio ambiente.

Livro *Os instrangeiros: a aventura da*
opinião na fronteira dos séculos (2002)

O mundo será melhor se a riqueza usada para atacar terroristas escondidos nas montanhas do Afeganistão também for usada para atacar a miséria nas estepes africanas.

Livro *Os instrangeiros: a aventura da opinião na fronteira dos séculos* (2002)

♦

Talvez o verdadeiro terror não esteja dentro de aviões carregados de combustível, mas dentro de nós mesmos, incapazes de administrar com ética e estadismo a monumental força técnica da civilização que fizemos ao longo do século XX.

Livro *Os instrangeiros: a aventura da opinião na fronteira dos séculos* (2002)

♦

Mais do que um futuro de terror, precisamos temer o terror do futuro de uma civilização incapaz de reorientar seu destino, que caminha rumo ao seu próprio fim. Um terror do qual seremos as vítimas, nos comportando como terroristas, homens-bomba preparando nosso suicídio.

Artigo "Terrorismo e terror" – jornal *O Globo* (14/03/2009)

O terrorismo quase não existiria se o sucesso europeu respeitasse as diferenças culturais.

Artigo "Os óculos de Schindler" — jornal *O Globo* (02/05/2015)

♦

Acreditamos que, além das medidas policiais imediatas, a vitória sobre o terrorismo só virá por meio de um imenso programa mundial de investimento em educação das crianças do mundo, ao longo de décadas. Até porque de nada adianta falar em pena de morte para quem deseja ser mártir, de nada adianta defender a liberdade de expressão para os 800 milhões de adultos que não sabem ler as ideias escritas nos jornais.

Artigo "Civilização do lápis" — jornal *O Globo* (24/01/2015)

♦

Em vez de continuar se deixando conduzir por uma arrogância vencedora de batalhas imediatas, mas incapaz de promover a paz global, o Ocidente precisa entender seus erros e suas responsabilidades na polarização civilizatória. Perceber que foi capturado em uma armadilha cuja principal consequência acabou sendo a fabricação de fanáticos e terroristas. A guerra entre a civilização ocidental e os grupos terroristas é um exemplo de armadilha global que o progresso criou.

Livro *Mediterrâneos invisíveis: os muros que excluem pobres e aprisionam ricos* (2016)

A história vai caminhar no sentido de uma ampliação da globalização sob a influência americana. Mas os EUA têm duas escolhas: a hegemonia do avanço técnico se impondo sem controle, uniformizando o mundo, submetendo culturas e enfrentando o terrorismo crescente ou uma nova forma de influência que conviva com culturas, que respeite a diversidade, que submeta o avanço técnico a valores éticos.

Livro *Sou insensato* (2007)

♦

O terror força a política a lutar contra o terror, empurrando novos desesperados para o terror.

Livro *Mediterrâneos invisíveis: os muros que excluem pobres e aprisionam ricos* (2016)

UNIVERSIDADE

UNIVERSIDADE

Reaja à universidade que sempre diz sim e luta apenas por mais verbas e não por novas ideias. Reaja contra a universidade alienada dos problemas do mundo. Contra as aulas consumidas, aprendidas apenas para servir no dia de prova, o dia da prova servindo apenas para o dia da formatura e a formatura servindo apenas para o diploma. Não veja o seu conhecimento apenas como ferramenta para o emprego. Veja a universidade como o lugar de sua realização, o templo onde você vai conquistar o céu do saber das coisas do mundo.

Livro *Reaja!* (2012)

♦

Não tem futuro o país que reduz sua elite de pensadores a uma pequena parcela que ingressa no ensino superior graças à exclusão das massas na educação básica.

Livro *"O futuro de um país tem a cara de sua escola no presente": e outras frases educacionistas* (2012)

♦

A universidade tem sido um instrumento de derrubada de preconceitos e privilégios, através de sua luta nas ruas, de suas manifestações públicas, de suas tomadas de posição, de suas históricas greves de protesto.

Livreto *A síndrome dos conventos e a pós-universidade* (2008)

O fato de ter passado quarenta anos tentando reformar a universidade – como estudante, professor, reitor e ministro – me fez concluir que essa reforma dificilmente será feita. Não poderá ser importada do exterior sem o consentimento da comunidade nem será feita a partir do seu interior, porque não contará com o apoio da comunidade acadêmica. Mas, quatro décadas depois de tantas mudanças no mundo – nas técnicas, na ética, na economia, no social, nas políticas nacional e internacional –, a necessidade de reformar a universidade é ainda maior e mais urgente; por isso, ainda há esperança.

Livro *A universidade na encruzilhada* (2014)

♦

A universidade talvez seja a única instituição social que deveria ter consciência da própria crise. Porque tem tradição de luta na vanguarda e porque tem obrigação de compromisso com o país.

Livro *A universidade na encruzilhada* (2014)

♦

No imediato, a universidade não pode saber qual o perfil de mão de obra que encontrará emprego nem saber, com certeza, que tipos de teorias resolvem e transformam corretamente a sociedade. Nesses termos, a solução é assumir a dúvida, trazê-la para dentro do *campus*, para a sala de aula, e embarcar em longas discussões que, nos próximos anos, ocorrerão em toda a sociedade.

Livro *A universidade na encruzilhada* (2014)

Mil anos atrás, a universidade substituiu o convento no papel de gerador do saber de nível superior. Para o terceiro milênio de nossa era, a universidade deverá mudar, não apenas se ajustando, mas se transformando radicalmente, para atender à nova realidade técnica e às novas exigências éticas que o mundo impõe às ideias. Caso contrário, ela perderá a importância que teve nos últimos dez séculos. Surgirá uma nova entidade: uma pós-universidade. O mundo assistirá ao surgimento dessa entidade, que passará a existir paralelamente à universidade, assim como conviveram conventos e universidades.

Livro *A universidade na encruzilhada* (2014)

♦

Não há um desenho terminado de reforma universitária a ser executada. Até porque não se faz uma reforma universitária de maneira impositiva. Alunos e professores não são tijolos de um prédio chamado *universidade*. Eles são os personagens da reforma; sem a voz deles, a reforma não será possível. Mas quem tem medo de mudar deve procurar outro lugar para trabalhar, não na universidade. É incompatível estar na universidade, como aluno, professor ou funcionário, e se sentir satisfeito com a realidade ao redor, recusando-se a fazer as reformas necessárias na sociedade e na universidade.

Livro *A universidade na encruzilhada* (2014)

A comunidade universitária não assume que o papel da universidade é criar a massa crítica de profissionais e intelectuais de nível superior de que o Brasil e o mundo precisam para responder aos seus problemas e desafios, consolidar a democracia e promover um desenvolvimento justo, equilibrado e sustentável.

Livro *A universidade na encruzilhada* (2014)

♦

A realidade do começo do século XXI é de superação de velhos paradigmas e surgimento de novos. É como se nada fosse duradouro, nem mesmo no curto prazo, especialmente o conhecimento. A cada dia surgem conceitos novos e saberes antigos ficam obsoletos. A universidade precisa se adaptar a essa flexibilidade na sua estrutura, nos seus departamentos, nos seus currículos; deve atravessar os próximos anos em constante mutação.

Livreto *Proposta para a construção de um Sistema Nacional de Conhecimento e Inovação* (2012)

♦

A universidade vem cometendo o erro de se conformar em ser uma escada social para seus alunos sem se preocupar em ser uma alavanca para o progresso do país e da humanidade. Concentrada em ser escada por meio de diploma, sem compromisso com a qualidade, ficou presa ao pecado da isonomia, desprezando o reconhecimento do mérito diferenciado de seus professores e alunos.

Artigo "Pecados da universidade" – jornal *Correio Braziliense* (12/09/2017)

Não temam ousar imaginar uma nova universidade nem enfrentar o desafio intelectual e político de exigir condições para implantar a reforma que surgir do debate. Não percam a chance de influir nos destinos da universidade e, por meio dela, no futuro do Brasil.

Artigo "A refundação da universidade" – evento Au-delà du développement durable, em Saint-Jean d'Angély, França (2007)

UTOPIA

UTOPIA

Não deixe de sonhar com uma utopia. Se você percebe a morte da utopia capitalista ou socialista, crie uma nova utopia, mais radical.

Livro *Reaja!* (2012)

◆

A história pode ressurgir por meio do redesenho da possibilidade da utopia: não mais a igualdade plena sem a liberdade, mas a liberdade com desigualdade tolerada dentro de limites sociais e ecológicos; não mais a revolução por meio da política, mas pela garantia de acesso igual à educação, à saúde e ao meio ambiente; não mais a desapropriação do capital, mas o limite ecológico ao consumo; não mais a promessa de riqueza para todos, mas o suprimento das necessidades essenciais para todos.

Livro *Desafios à humanidade: perguntas para a Rio+20* (2013)

◆

Quem não tem capacidade de sonhar utopias para o futuro nem capacidade de ver os limites da realidade do presente não é de esquerda, é de exquerda.

Artigo "Esquerda e exquerda" – jornal *Correio Braziliense* (18/10/2016)

Os homens do início do século XX imaginavam que este seria o século da construção da utopia: o avanço técnico construiria uma utopia em que os homens estariam livres das necessidades, eliminariam a violência, viveriam na abundância, na igualdade e na solidariedade. A confiança no avanço do poder técnico só encontrava paralelo na certeza da construção de uma civilização utópica. Ninguém imaginava algo como as redes internacionais de televisão mostrando ao mundo os olhos de crianças famintas na Somália, os olhos tristes de crianças feridas em Sarajevo, as filas de desempregados mesmo nos países-com-maioria-da-população-de-alta-renda.

Livro *A cortina de ouro: os sustos do final do século e um sonho para o próximo* (1995)

♦

Não cabe mais a ideia de uma engenharia social para construir utopias definidas pela vontade de intelectuais e políticos, como se acreditou ao longo dos séculos XIX e XX. A utopia não é uma edificação social, é um processo em marcha democraticamente.

Artigo "Uma outra esquerda" – jornal *Correio Braziliense* (04/10/2016)

♦

Mesmo sem o poder de construir utopias, tem-se o direito de sonhar com elas. A revolução teórica se fará depois da revolução ética, que proporá e fará hegemônica uma nova utopia.

Livro *Da ética à ética: minhas dúvidas sobre a ciência econômica* (2012)

Se a utopia da civilização industrial está em crise, poucos países retratam mais seu fracasso do que o Brasil. O país está entre os que mergulharam com maior êxito, por quase 100 anos, na experiência da utopia industrial e, simultaneamente, entre os que mais fracassaram nos resultados civilizatórios. Muitos países ainda não penetraram suficientemente na modernidade; outros ainda têm motivos para acreditar em suas possibilidades. O Brasil realizou e fracassou.

Livro *Da ética à ética: minhas dúvidas sobre a ciência econômica* (2012)

◆

A esquerda global precisa ser global nos seus objetivos: formular e defender um programa mundial pela educação de todas as crianças e adultos do mundo inteiro. Um programa como esse é possível, já que o mundo tem recursos financeiros e materiais. Falta construir a base de apoio político. Esta é a razão da luta atual dos utopistas.

Livro *O erro do sucesso: a civilização desorientada e a busca de um novo humanismo* (2014)

◆

Em muitos aspectos, a humanidade regrediu do ponto de vista de sua marcha para a utopia: a fome deixou de ser provisória, e a violência deixou de ser esporádica.

Livro *A cortina de ouro: os sustos do final do século e um sonho para o próximo* (1995)

OUTROS

OUTROS

Reaja contra a fome de supérfluo, a fome de produtos que ficam sem valor no dia seguinte ao que os conseguimos. Não aceite a ideia equivocada de que as coisas se tornam obsoletas a cada ano, só porque surgiu um novo produto com novas cores e mais botões; nem a de que *velho* e *usado* são sinônimos de *feio*; nem o sentimento que torna velho o produto de ontem e considera obsoleto o que ainda não é o de amanhã. Lembre-se de que um sapato é para usar e não para mostrar a marca. Reaja à propaganda que amplia suas necessidades e manipula seus gostos e gastos.

Livro *Reaja!* (2012)

◆

Não aceite ser sequestrado por ideias. Com elas devemos casar quando nos deslumbram, mas nunca devemos nos subordinar a elas só porque nos chegam bem pintadas e arrumadas, porque trazem dinheiro ou são impostas por pessoas que se fazem passar por donas da verdade. Derrubem as verdades que se apresentam como donas do mundo.

Livro *Reaja!* (2012)

◆

Faça o mundo ser AV, "antes de você", e DV, "depois de você". É a isso que se chama RV, "razão de viver".

Livro *Reaja!* (2012)

Derrube as paredes, sobretudo as invisíveis. Estas são as piores: construídas à sua volta desde os primeiros anos, vão sufocando sem que você perceba. São essas paredes que aprisionam o espírito e o intelecto até quando não puder mais escapar.

Livro *Reaja!* (2012)

Livros de Cristovam Buarque

Ensaios

A desordem do progresso: o fim da era dos economistas e a construção do futuro. Rio de Janeiro: Paz e Terra, 1991. [Traduzido para o inglês.]

O colapso da modernidade brasileira e uma proposta alternativa. Rio de Janeiro: Paz e Terra, 1991.

A revolução na esquerda e a invenção do Brasil. Rio de Janeiro: Paz e Terra, 1992.

O que é apartação: o apartheid social no Brasil. São Paulo: Brasiliense, 1993.

A aventura da universidade. Rio de Janeiro: Paz e Terra, 1994.

A cortina de ouro: os sustos do final do século e um sonho para o próximo. Rio de Janeiro: Paz e Terra, 1995. [Traduzido para o inglês e o espanhol.]

A segunda abolição: um manifesto-proposta para a erradicação da pobreza no Brasil. Rio de Janeiro: Paz e Terra, 1999.

Os tigres assustados: uma viagem pela fronteira dos séculos. Rio de Janeiro: Rosa dos Tempos, 1999.

A revolução nas prioridades: da modernidade técnica à modernidade ética. Rio de Janeiro: Paz e Terra, 2000.

Admirável mundo atual: dicionário pessoal dos horrores e esperanças do mundo globalizado. São Paulo: Geração Editorial, 2001.

Os instrangeiros: a aventura da opinião na fronteira dos séculos. Rio de Janeiro: Garamond, 2002.

Como fazer! A revolução pela educação. Brasília: Senado Federal, 2007.

O que é educacionismo. São Paulo: Brasiliense, 2008.

Frases educacionistas. Brasília: Senado Federal, 2009.

A revolução republicana na educação: ensino de qualidade para todos. Brasília: Senado Federal, 2011.

Da ética à ética: minhas dúvidas sobre a ciência econômica. Curitiba: InterSaberes, 2012.

Educação é a solução: é possível! Brasília: Senado Federal, 2012.

Desafios à humanidade: perguntas para a Rio+20. Curitiba: InterSaberes, 2013.

A universidade na encruzilhada. São Paulo: Unesp, 2014.

O erro do sucesso: a civilização desorientada e a busca de um novo humanismo. Rio de Janeiro: Garamond, 2014.

Mediterrâneos invisíveis: os muros que excluem pobres e aprisionam ricos. Rio de janeiro: Paz e Terra, 2016.

Ficção

Astrícia. Rio de Janeiro: Civilização Brasileira, 1984. [Traduzido para o inglês e o espanhol.]

A eleição do ditador. Rio de Janeiro: Paz e Terra, 1988.

Os deuses subterrâneos: uma fábula pós-moderna. Rio de Janeiro: Record, 1994. [Traduzido para o inglês e o húngaro.]

A ressurreição do general Sanchez. São Paulo: Geração Editorial, 1997.

Coletânea de artigos

Sou insensato. Rio de Janeiro: Garamond, 2007.

As cores da economia. Brasília: Senado Federal, 2013.

Educação: uma nota só. Brasília: Senado Federal, 2013.

História

Educacionismo, educacionista. Brasília: Senado Federal, 2008. [Traduzido para o inglês.]

"O futuro de um país tem a cara de sua escola no presente": e outras frases educacionistas. Curitiba: InterSaberes, 2012.

Dez dias de maio em 1888. Brasília: Senado Federal, 2015.

Retrato de uma década perdida. Brasília: Abaré, 2017. [Em coautoria com Celso Furtado.]

Biografia e entrevista

Foto de uma conversa. Rio de Janeiro: Paz e Terra, 2007.

Bolsa-Escola: história, teoria e utopia. Brasília: Thesaurus, 2012.

Infantojuvenis

A borboleta azul. Rio de Janeiro: Galerinha Record, 2008.

O tesouro na rua: uma aventura pelos 500 anos da história econômica do Brasil. Rio de Janeiro: Galera, 2008.

A rebelião das bicicletas e outras histórias. Rio de Janeiro: Garamond, 2013.

Poesia

Um livro de perguntas. Rio de Janeiro: Garamond, 2004. [Traduzido para o espanhol.]

O berço da desigualdade. Unesco, 2005. [Em coautoria com Sebastião Salgado.]

Uma ponte sobre o tempo: aforismos entre os séculos XII e XXI. Brasília: Abaré, 2017.

Manifesto

Reaja! Rio de Janeiro: Garamond, 2012. [Traduzido para o turco.]

Técnico

Avaliação econômica de projetos: uma apresentação didática. Rio de Janeiro: Campus, 1994.

Nota sobre Cristovam Buarque

Cristovam Buarque nasceu em Recife, Pernambuco, em 1944. É graduado em Engenharia Mecânica (1966) pela Universidade Federal de Pernambuco (UFPE) e doutor em Economia (1973) pela Sorbonne, em Paris. Foi funcionário do Banco Interamericano de Desenvolvimento (BID) de 1973 a 1979, tendo permanecido em Washington, D.C. por quatro anos. Também exerceu os cargos de reitor da Universidade de Brasília (UnB), de 1985 a 1989; governador do Distrito Federal, de 1995 a 1998; e ministro da Educação, em 2003. Foi candidato à Presidência da República nas eleições de 2006, com uma campanha educacionista, e é senador da República pelo Distrito Federal desde 2003.

Ao longo de sua carreira, publicou dezenas de livros por editoras renomadas, alguns deles com edições no exterior. Mantém, há três décadas, colunas regulares em jornais nacionais e internacionais, com mais de 1.500 artigos publicados, além de vários outros em revistas. É conhecido por suas inúmeras palestras no Brasil e no exterior, nas quais explicita uma concepção crítica da teoria econômica e uma visão alternativa para o processo de desenvolvimento civilizatório.

Ficou conhecido também como "senador da Educação" a partir de sua campanha presidencial em 2006, quando defendeu a necessidade de o país dar um salto para se transformar em uma economia do conhecimento e em uma sociedade mais justa, assegurando educação de base com qualidade equivalente para todas as crianças.

Integrou o Instituto da Unesco de Aprendizagem ao Longo da Vida, em Hamburg; o Conselho Consultivo do Relatório de Desenvolvimento Humano (Pnud), em Nova Iorque; e o Conselho Diretor da Universidade das Nações Unidas, em Tóquio. É membro da Academia Real de Ciências, Letras e Belas Artes da Bélgica e do movimento Parlamentares sem Fronteiras, idealizado por ele em conjunto com o indiano Kailash Satyarthi, ganhador do Prêmio Nobel da Paz de 2014.

Os papéis utilizados neste livro, certificados por instituições ambientais competentes, são recicláveis, provenientes de fontes renováveis e, portanto, um meio responsável e natural de informação e conhecimento.

FSC
www.fsc.org
MISTO
Papel produzido a partir de fontes responsáveis
FSC® C103535

Impressão: Reproset
Novembro/2021